Sonaten
und
Klavier-Stücke

SONATES et MORCEAUX DE PIANO.   SONATES and PIANO PIECES.

VON

J. N. HUMMEL.

REVIDIERT UND
MIT FINGERSATZ VERSEHEN

VON

C. DE BÉRIOT.

UE 91
ISMN M-008-01652-3

2

Vorwort.

Viele junge Clavierspieler sehen in dem Gebrauche des Pedals nur ein Mittel, um das Spiel zu verstärken oder abzuschwächen, während die Erfahrung lehrt, dass erst dessen richtige Anwendung dem Spiele Reiz und Poesie verleiht. Ich halte es daher für zweckmässig, zur Belehrung der Schüler in diesem Vorworte mit wenigen Worten die Erwägungen anzudeuten, auf welche die Pedalbezeichnungen des vorliegenden Werkes gegründet sind.

Das linke Pedal (Verschiebung) kann das Spiel abschwächen oder dessen Klangfarbe verändern, je nachdem, ob die Hämmer sich den Saiten nähern, ob sich eine Filzplatte einschiebt oder die Hämmer sich parallel zur Claviatur verschieben. Durch diesen Unterschied wird der Gebrauch des linken Pedals oft dem Belieben des Einzelnen anheimgestellt, während dies beim rechten (grossen) Pedal nicht der Fall ist. Mit letzterem will ich mich eingehender beschäftigen.

Das rechte Pedal kann, je nach den einzelnen Fällen, harmonischen oder melodischen Zwecken dienen. Es ist ein harmonisches Mittel, wenn man eine dem Aushalten der Töne in der Orchestermusik ähnliche Wirkung erzielen will, wie sie dort den Blasinstrumenten und manchmal dem Quartett übertragen wird. Auf dem Clavier, das ein Orchester im Kleinen ist, erreicht man diesen Effect durch das Hinzunehmen des rechten Pedals, allein dasselbe muss bei den Accordwechseln, besonders häufig übrigens bei den Fortissimi, erneuert oder aufgehoben werden. Die tiefen Noten, welche die Finger nicht zu halten im Stande sind,

Préface.

Beaucoup de jeunes pianistes ne voient dans l'usage de la pédale qu'un moyen de force ou de douceur, tandis que l'expérience démontre que c'est le bon emploi de cet organe qui communique au jeu le charme et la poésie. J'ai donc cru bien faire, pour l'édification des élèves, d'indiquer succinctement dans cette préface les considérations sur lesquelles sont basées les indications de pédale du présent volume.

La petite pédale peut adoucir le jeu ou en modifier le timbre selon que les marteaux se rapprochent des cordes, qu'un feutre s'interpose ou que les marteaux se déplacent parallèlement au clavier. Cette distinction rend l'emploi de la petite pédale souvent facultatif tandis qu'il n'en va pas de même pour la grande pédale; c'est de celle-ci que je m'occupe plus particulièrement.

La grande pédale peut être envisagée (selon les cas) comme un moyen harmonique ou mélodique. Il est harmonique lorsqu'on veut obtenir un effet semblable aux tenues orchestrales confiées aux instruments à vent et parfois au quatuor. Sur le piano (orchestre en miniature), on obtient cet effet par l'adjonction de la grande pédale, mais il est nécessaire d'en renouveler ou d'en suspendre la mise aux changements d'harmonie, fréquemment sur les temps forts par parenthèse. Les notes profondes que

Preface.

Many young piano players consider the pedals only a means for making their playing louder or softer. But experience shows that it is the use of the pedals which lends poetry and grace to one's playing. Consequently I consider it advisable to explain to the pupil in a few words the principles on which the signs for the use of the pedals have been applied in this work.

The left, or soft pedal can either soften the tone, or give it another colour according to whether in the instrument in use it brings the hammers nearer to the strings, whether a piece of felt is introduced between the hammers and the strings, or whether the hammers are shifted parallel to the keyboard. In consequence of this difference the use of this pedal is often left to the discretion of the player. With the right, or loud pedal that is not the case. Concerning it I will enter more into detail.

In some cases the right pedal can be used for harmonic purposes, in others for melodic ones. It is a harmonic means when it is desired to produce an effects like that of holding notes in orchestral music, as is there sometimes done by the wind instruments and sometimes by the quartet. On the piano, which is a miniature orchestra, this effect is obtained by putting down the right pedal; when the chords change, but particularly in fortissimo passages, it must be let go and then put down again, or not, according to circumstances. Bass notes, which the player cannot hold because his hand must move up the keyboard, can

können durch das Pedal verlängert werden; bisweilen bei kurzen Noten angewendet, muss es schnell genommen und ausgelassen werden.

Die Clavicymbeln besassen keine Pedale; daher weisen die Musikstücke der Meister aus der den Fortepianos vorangehenden Epoche keinerlei diesbezügliche Angaben auf. Das Aushalten des Tones geschah durch die Finger, und die Notenschrift deutet darauf hin.

Der melodische Gebrauch des Pedals soll die Härte des Spieles in den Endnoten beseitigen, ohne dass hiebei die Phrasirung ausseracht gelassen werden dürfte.

Ich kann diesen Punkt nicht stark genug betonen; die Sänger werden dieser Vorschrift gerecht, indem sie sich ausgehaltener Töne bedienen.

Hier ein Beispiel dafür:

Je nachdem, ob ein melodischer oder rhythmischer Effect erzielt werden soll, hat man mehr oder weniger Pedal zu nehmen oder aber ganz davon abzusehen.

Wenn die Hand in einem sehr gebundenen Tonsatz ihre Lage verändert, so kann das Pedal auch die sich daraus ergebende Uncorrectheit ausgleichen.

Beispiele: (Nr. 1 ohne Verschiebung, Nr. 2 mit Verschiebung.)

(Hier wechselt die linke Hand.)

---

les doigts ne peuvent soutenir, pourront être prolongées par la pédale; celle-ci employée parfois sur les notes brèves, devra être mise et enlevée avec rapidité. Les anciens clavecins ne possédaient point de pédales, aussi la musique des maîtres de l'époque qui a précédé les Fortés, est-elle dépourvue de toute indication; la tenue du son s'obtenait par les doigts et l'écriture musicale en porte la trace. L'emploi mélodique de la pédale a pour résultat de faire disparaître la sécheresse du jeu dans les notes terminales, tout en respectant la ponctuation.

Je ne saurais trop insister sur ce point; les chanteurs mettent en pratique ce précepte au moyen des sons filés. En voici un exemple:

Selon l'effet à obtenir (mélodique ou rythmique) on mettra plus ou moins de pédale, ou bien même on s'en abstiendra.

Lorsque la main se déplace dans une phrase très liée, la pédale peut également corriger le défaut qui en résulte. Exemples (No. 1 sans déplacement, No. 2 avec déplacement.)

(Ici la main gauche change de régistre.)

---

be prolonged by means of the pedal; at times in the case of short notes it must be let go and then quickly put down again.

The old pianos had no pedals, and so the works of the composers of those times preceding to the Fortepianos have no indications for the use of the pedal. The fingers held down the keys the full value of the notes exactly as indicated in the printed music.

The melodic use of the pedal is intended to soften down the hardness of the outer tones without, however, disregarding the phrasing.

I cannot sufficiently insist on this point. Singers follow this rule by using long held notes.

Here is an example:

Here the pedal must be used more or less according to whether it is desired to produce a melodic or a harmonic effect.

When the hand changes its position in very legato movements the pedal can prevent incorrectnesses, which otherwise would arise.

Example: (Nr. 1 without the soft pedal, Nr. 2 with it.)

(Here the left hand shifts.)

4

Bei dicht aneinander gereihten Accorden ist es oft nöthig, das Pedal zu nehmen, und zwar nicht bei den Accorden selbst, sondern unmittelbar nach ihrem Anschlag. Auf diese Weise ist das falsche Nachklingen nicht zu befürchten. Zugleich sei erwähnt, dass der gewöhnlichste Fehler nicht sowohl in der zu häufigen Anwendung des Pedals als vielmehr darin besteht, dass es nicht oft genug aufgehoben wird.

Drei Klippen sind zu vermeiden: Die Verworrenheit, die Härte und die Eintönigkeit des Spiels.

Zum Schlusse rathe ich den Schülern, sich an Selbstbeurtheilung zu gewöhnen, indem sie das Pedal auf verschiedene Arten anwenden und diese untereinander vergleichen; oft werden sie dabei mehrere gute oder wenigstens annehmbare finden*), wogegen es ihnen schwerer fallen dürfte, sich vor den schlechten zu bewahren. Sie werden bald bemerken, dass der Gebrauch des Pedals zuweilen, je nach dem Instrumente, das man spielt, abgeändert werden kann; sie werden auch lernen, dass es hiefür keine absolut feststehenden Gesetze gibt, und dass man sich am besten von dem Bestreben leiten lässt, den Geschmack mit den Regeln in völlige Uebereinstimmung zu bringen.

C. de Beriot,
Professor am Pariser
Conservatorium.

*) Das Gefühl für Orchestermusik trägt ausserordentlich zum verständigen Gebrauche des rechten Pedals bei. Das Aushalten der Accorde bleibt bisweilen dem Gutdünken des Einzelnen überlassen; ebenso verhält es sich mit dem Hinzunehmen des Pedals, welches die Gruppe der Blasinstrumente in ihrer Rolle als harmonische Stütze vertritt.

Dans les harmonies serrées il est souvent nécessaire de mettre la pédale, non pas sur les accords mêmes, mais immédiatement après leur attaque; on n'a pas à craindre ainsi les fausses vibrations. Il est bon de remarquer que le défaut le plus commun est moins de mettre trop de pédale que de ne pas l'enlever assez souvent.

Enfin, il faut éviter trois écueils: la confusion, la sécheresse et la monotonie.

Pour conclure, je conseille aux élèves de s'exercer à devenir leurs propres juges en employant la pédale de diverses manières et les comparant entr'elles; souvent ils pourront en trouver plusieurs bonnes ou tout au moins admissibles), mais il leur sera moins facile peut-être de se garder des mauvaises; ils verront que l'emploi de la pédale peut-être parfois modifié en raison de l'instrument que l'on joue; ils apprendront aussi qu'il n'y a rien d'absolu et que la meilleure façon de se guider est d'établir un bon accord entre le goût et les préceptes.*

C. de Beriot,
*professeur au Conservatoire
de Paris.*

*) Le sentiment de l'orchestre fait admirablement bien comprendre l'emploi judicieux de la grande pédale. Les tenues de l'harmonie sont parfois facultatives, il en est de même de l'adjonction de la grande pédale représentant le groupe des instruments à vent dans leur rôle de soutien harmonique.

When several chords follow immediately one after the other, it is often necessary to use the pedal, but not till just after the chord has been struck. If it be put down after the chord has been struck, there is no fear of running the sound of the chords one into the other. The commonest mistake is not the too frequent use of the pedal, but the omission to let it go at the right place.

There are three dangers specially to be avoided: indistinctness, hardness, monotony.

In conclusion I would advise the learner to accustom himself to rely on his own judgement. Let him use the pedal in different ways, and compare with each other the effects produced. Often he will find several more or less good ones*), but all possible; he will, however, find it more difficult to avoid the really bad. He will soon discover that the pedal must be used differently according to the instrument he is playing on; he will also learn that there are no fixed laws in this matter, and that the best thing is to try and bring his taste into harmony with the rules.

C. de Beriot,
Professor at the Paris
Conservatoire.

*) The taste for orchestral music greatly assist the intelligent use of the pedal. Sometimes the holding out of the notes is left to the player's discretion; just so is it with the employment of the pedal, which in its capacity as a harmonic support plays the same part as do the wind instruments in the orchestra.

SONATE.

Op. 13.

Jos. Haydn gewidmet.

Allegro con brio.

J. N. Hummel.
(1778-1837.)

sostenuto quasi organo

U. E. 91.338.

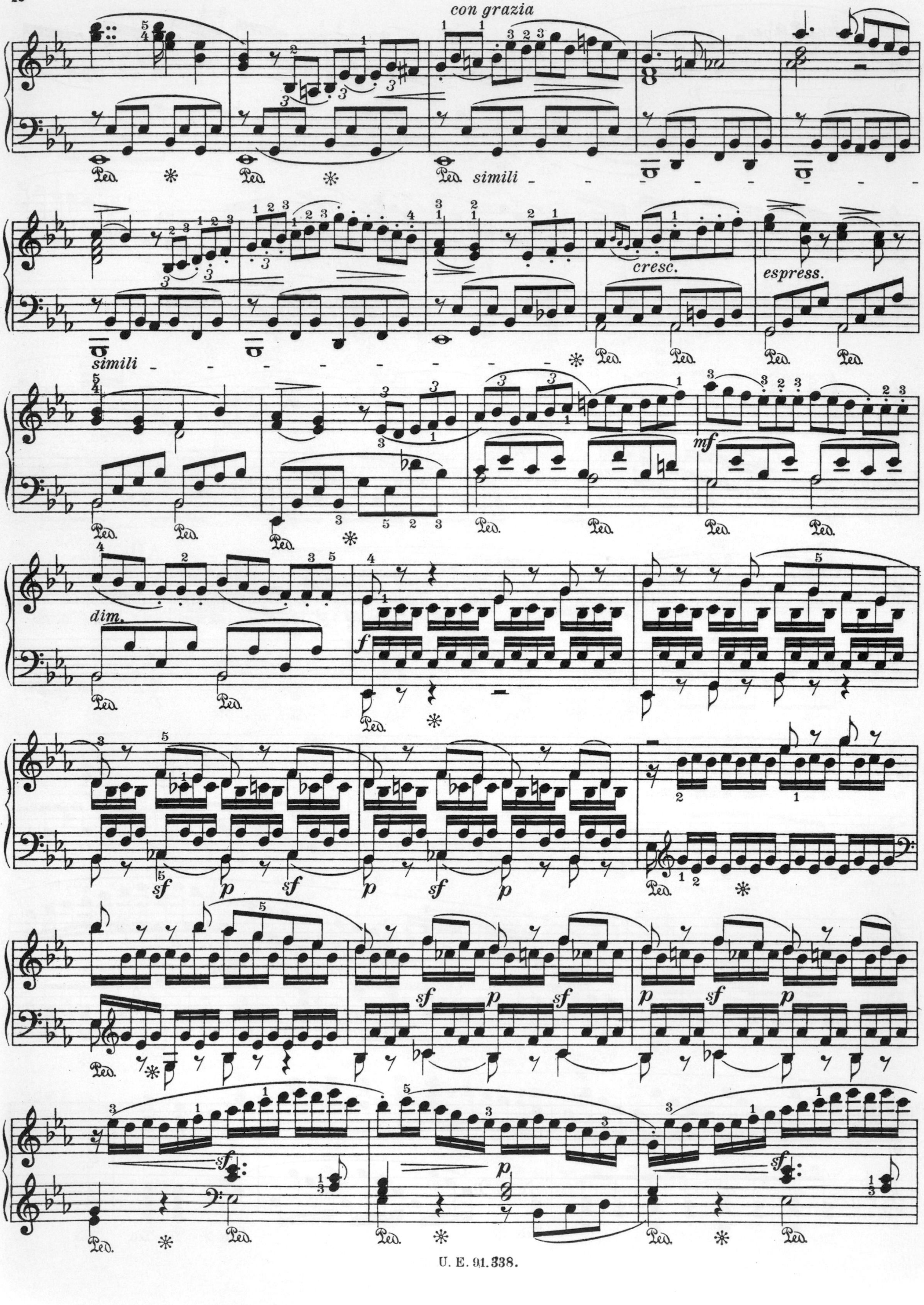
con grazia
simili
cresc.
espress.
dim.
mf
f
sf
p
Ped.

Alleluja.

Adagio con gran espressione.

FINALE.
Allegro con spirito.

SONATE.

Op. 20.

Magdalene von Kurzbeck gewidmet.

Allegro moderato.

U. E. 91.

Adagio. **Allegro agitato.**

U.E.91.

Adagio maestoso.

FINALE.
Presto.

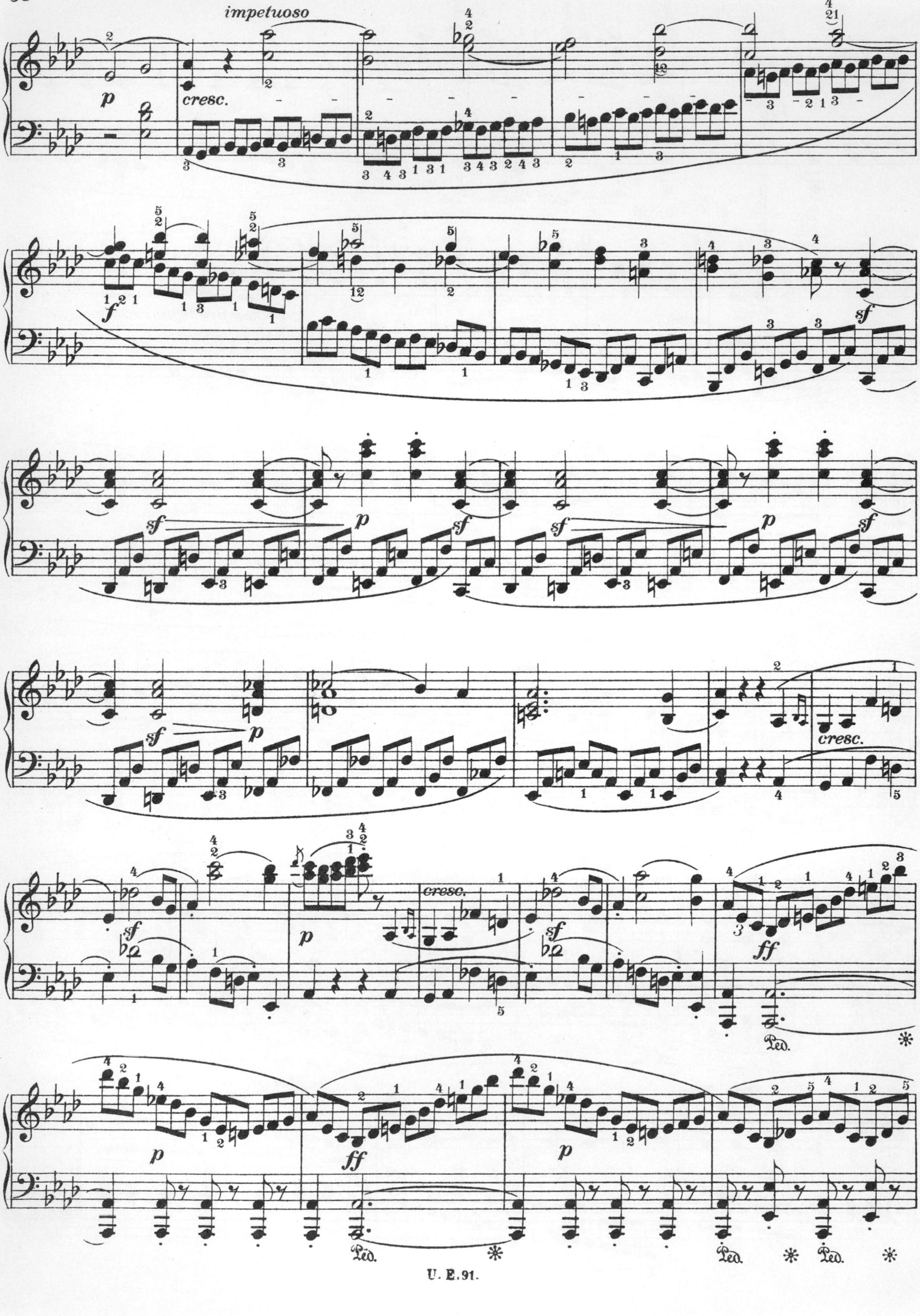
impetuoso
cresc.
Ped.

U. E. 91.

Ancor più presto.

RONDO.
Op. 11.

Allegro scherzando.

19.

FANTASIE.
Op. 18.

Allegro con fuoco.

Allegro con fuoco.

A capriccio, ma lento.

Larghetto e cantabile.

Allegro assai.

„LA BELLA CAPRICCIOSA."
POLONAISE.
Op. 55.

Introduzione.
Larghetto con molta espressione.

Alla Polacca.

con spirito

con anima

sempre legato

legato

Larghetto.

INHALT.

KLAVIERMUSIK ZU ZWEI HÄNDEN

BACH, J. S.	Ausgewählte Werke (Röntgen)	
Wohltemperiertes Klavier, 2. Band		UE 1548
2- und 3-stimmige Inventionen		UE 324
Englische Suiten, 2. Band		UE 327
Partiten, 2 Bände		UE 328/29
Italienisches Konzert		UE 330
Chromatische Fantasie und Fuge		UE 520
Kleine Präludien und Fugen		UE 323
BACH, C. Ph. E.	Kurze und leichte Stücke mit veränderten Reprisen (Jonas)	UE 13311
hiezu Revisionsbericht und Bemerkungen, d. e.		UE 13311a
Klavierwerke (13 Sonaten und Rondo) (Schenker), 2 Bände		UE 548a/b
– als Einführung dazu: Ein Beitrag zur Ornamentik von Schenker		UE 812
Die Bach-Familie 1604–1845 (Geiringer)		UE 10787
BARTÓK, B.	Allegro barbaro	UE 5904
Im Freien, 5 Stücke, 2 Hefte		UE 8892a/b
9 kleine Klavierstücke		UE 10000
– daraus: Heft 2: Menuetto, Chanson, Marcia, Tambour		UE 8921
Lieder und Tänze aus den „44 Duos für 2 Violinen" für Klavier bearbeitet von Sándor		UE 18585
Petite Suite		UE 10987
3 Rondos über Volksweisen		UE 9508
Rumänische Volkstänze		UE 5802
Rumänische Weihnachtslieder		UE 5890
Sonate		UE 8772
– dto., Faksimile-Ausgabe (Somfai)		UE 17272KAR
– dto., Faksimile-Ausgabe, gebunden		UE 17272L
Suite op. 14		UE 5891
Tanzsuite		UE 8397
15 Ungarische Bauernlieder		UE 6370
BEETHOVEN, L. v.	Sämtliche Klaviersonaten in 2 Bänden, Urtextausgabe von Schenker, neu revidiert von Ratz	UE 8/9
daraus einzeln:		
– op. 13 c-Moll (Pathétique)		UE 13341
– op. 27/2 cis-Moll (Mondschein)		UE 13343
Erläuterungsausgabe der letzten Sonaten (Schenker, revidiert von Jonas): Sonate As-Dur op. 110		UE 26304
Klavierstücke		UE 13367
Czerny: Über den richtigen Vortrag der sämtlichen Beethoven'schen Klavierwerke (Badura-Skoda)		UE 13340
– dto., engl. Ausgabe		UE 13340E
BERG, A.	op. 1, Sonate	UE 8812
Frühe Klaviermusik (Stephan)		
– Heft 1: Ausgewählte Klavierstücke		UE 18145
– Heft 2: 12 Variationen über ein eigenes Thema		UE 18146
BERIO, L.	Rounds	UE 13794
Sequenza IV		UE 30137
6 Encores (Brin, Leaf, Wasserklavier, Erdenklavier, Luftklavier, Feuerklavier)		UE 19918
Luftklavier		UE 18688
Berio Family Album		UE 15950
BLACHER, B.	Trois Pièces	UE 11628
BRAHMS, J.	op. 4, Scherzo es-Moll (Klasen)	UE 2257
op. 104, Balladen (Steuermann)		UE 2258
op. 39, Walzer (Sauer)		UE 1108
op. 79, 2 Rhapsodien (Klasen)		UE 2277
op. 117, Drei Intermezzi (Steuermann)		UE 2294
op. 118, 6 Klavierstücke (Steuermann)		UE 2354
CRAMER, J. B.	21 Etüden nebst Fingerübungen von Beethoven nach seinem Handexemplar (Kann)	UE 13353
CRAMER-BÜLOW	60 ausgewählte Etüden	UE 1304
CHOPIN, F.	Klavierwerke: Walzer (Pugno)	UE 341
Mazurkas (Pugno)		UE 342
Balladen und Impromptus (Pugno)		UE 345
Etüden (Pugno)		UE 347
CASELLA, A.	11 Kinderstücke	UE 6878
EINEM, G. v.	op. 3, Vier Klavierstücke	UE 11471
op. 7, Zwei Sonatinen für Klavier		UE 11911
Vermutungen über Lotti. 10 Capricen op. 72		UE 14940
HAYDN, J.	12 kleine Stücke	UE 157
Kleine Tänze für die Jugend (Krieger)		UE 10270
6 Favorite Menuettes (Erstausgabe)		UE 11100
HUMMEL, J. N.	Sonaten und Klavierstücke (de Beriot)	
– Band 1		UE 91
– Band 2		UE 92
– Band 3		UE 93
Etudes op. 125 (Trnecek)		UE 760
KANN, H.	Tägliche Fingerübungen für Pianisten	UE 13400
Tänze und Gesänge aus dem Lande der Potscharen		UE 19923
KODÁLY, Z.	op. 11, 7 Klavierstücke	UE 6653
Meditation sur un motif de Debussy		UE 7799
Ballettmusik		UE 10722
Márosszéker Tänze		UE 8213
– dto., Faksimileausgabe der Handschrift, geb.		UE 17760
Tänze aus Galanta		UE 10671
Drei Stücke aus „Háry János" (Intermezzo, Viennese Clock, Song) (Roggenkamp)		UE 31200
MARTIN, F.	8 Préludes	UE 11973
Guitare		UE 15041
Fantaisie sur des rythmes flamenco		UE 15042
Esquisses pour piano		UE 16979
MARTINU, B.	Deux Pièces pour Clavecin	UE 13431
MOZART, L.	Nannerl-Notenbuch	UE 17145
MOZART, W. A.	12 Walzer für die Jugend	UE 616
6 Wiener Sonatinen KV 439b (Kann)		UE 13354
POOT, M.	Gute Reise! 10 leichte Klavierstücke	UE 13828
SATIE, E.	Jack in the box, op. post.	UE 9914
SCHÖNBERG, A.	op. 9, Kammersymphonie	UE 7146
op. 11, 3 Klavierstücke		UE 2991
op. 19, 6 kleine Klavierstücke		UE 5069
op. 25, Suite		UE 7627
op. 33a, Klavierstück		UE 9773
op. 33b, Klavierstück		UE 15165
SCHUBERT, F.	14 Sonaten in 2 Bänden (Urtext – Ratz)	UE 257a/b
Ballettmusik aus Rosamunde		UE 852
6 Deutsche Tänze v. Oktober 1824		UE 2743
Impromptus, Moments Musicaux, Drei Klavierstücke (D 946)		UE 13307
Sonate oubliée C-Dur D 916B		UE 18575
Walzer „Kupelwieser"		UE 14930
SCHUMANN, R.	op. 1/2, Variationen, Papillons	UE 436
op. 6, Davidsbündler		UE 532
op. 9, Carnaval		UE 360
op. 12, Fantasiestücke		UE 519
op. 18/19, Arabeske, Blumenstück		UE 437
op. 20, Humoreske		UE 529
op. 26, Faschingsschwank		UE 438
op. 28, 3 Romanzen		UE 531
op. 68, Album für die Jugend (Friedmann, Klasen)		UE 361
op. 124, Albumblätter		UE 562
SIBELIUS, J.	op. 68/1 und 2, Zwei Rondinos	UE 3848/49
STOCKHAUSEN, K.	Nr. 2 Klavierstücke I–IV	UE 12251
Nr. 4 Klavierstück V		UE 13675a
Nr. 4 Klavierstück VI		UE 13675b
Nr. 4 Klavierstück VII		UE 13675c
Nr. 4 Klavierstück VIII		UE 13675d
Nr. 4 Klavierstück IX		UE 13675e
Nr. 4 Klavierstück X		UE 13675f
Nr. 7 Klavierstück XI (Ausgabe in Rolle)		UE 12654
Aus den sieben Tagen		UE 14790
STRAUSS, R.	Fünf Klavierstücke op. 3	UE 1004
Sonate h-Moll op. 5		UE 1006
Stimmungsbilder op. 9		UE 1017
SZYMANOWSKI, K.	op. 1, 9 Préludes	UE 3852
op. 4, 4 Etudes		UE 3855
op. 10, Variationen über ein polnisches Volkslied		UE 3859
op. 21, Sonate Nr. 2 a-Moll		UE 3864
op. 29, Métopes		UE 6997
op. 33, Etudes		UE 6998
op. 34, Masques		UE 5858
op. 36, Sonate III		UE 5859
op. 50, Mazurkas		UE 15972
The Szymanowski Collection (Etüden, Preludes, Mazurka)		UE 70002
TAKACS, J.	Allerlei für kleine Finger, 24 Stücke für Anfänger	UE 13030
Von fremden Ländern und Menschen op. 37		UE 10929
Von Nah und Fern, 21 leichte Klavierstücke op. 111		UE 18042
UE–BUCH DER KLAVIERMUSIK des 20. Jahrhunderts		UE 12050
WEBERN, A.	Variationen op. 27	UE 10881
Klavierstück op. post.		UE 13490

— Bitte fragen Sie nach unserem vollständigen Katalog! —

UNIVERSAL EDITION

UNIVERSAL EDITION KLAVIERMUSIK
STANDARD REPERTOIRE FOR PIANO

Klavier solo / Piano Solo

Bach J. S.:
Röntgen-Ausgaben:
- Chromatische Fantasie und Fuge [5]   UE 520
- Englische Suiten, Band 2 [4/5]   UE 327
- Französische Suiten [3/4]   UE 325
- 2- und 3-stimmige Inventionen [2/3]   UE 324
- Italienisches Konzert [4]   UE 330
- Kleine Präludien und Fugen [2]   UE 323
- Partiten, 2 Bände [4/5]   UE 328/29
- Das wohltemperierte Klavier [3/4]
  Band 2   UE 1548

Bach C. Ph. E.:
- Kurze und leichte Stücke
  mit veränderten Reprisen (Jonas) [2]   UE 13311
- dto., Revisionsbericht und Bemerkungen (d. e.)   UE 13311a
- Klavierwerke: 13 Sonaten und Rondo (Schenker),
  2 Bände [2/3]   UE 548a/b
  - Als Einführung dazu: Ein Beitrag zur Ornamentik
    (auch Haydns, Mozarts und Beethovens) von H. Schenker   UE 812

Beethoven L. v.:
- Klavierstücke [3/4]   UE 13367
- Sämtliche Klaviersonaten in 2 Bänden, Urtextausgabe
  von H. Schenker, neu revidiert von E. Ratz, brosch. [3/5]   UE 8/9
  - daraus einzeln:
    op. 13 c-Moll (Pathétique) [5]   UE 13341
    op. 27/2 cis-Moll (Mondschein) [5]   UE 13343
    - Erläuterungsangaben der letzten Sonaten (H. Schenker,
      revidiert von O. Jonas): Sonate As-Dur op. 110   UE 26304

Brahms J.:
- 4 Balladen op. 10 (Steuermann) [4]   UE 2258
- 3 Intermezzi op. 117 (Steuermann) [4]   UE 2294
- 6 Klavierstücke op. 118 (Steuermann) [4]   UE 2354
- 4 Klavierstücke op. 119 (Steuermann) [4/5]   UE 2355
- 2 Rhapsodien op. 79 (Klasen) [4/5]   UE 2277
- Scherzo es-Moll op. 4 (Klasen) [5]   UE 2257
- Walzer op. 39 (Sauer) [4]   UE 1108

Chopin F.:
Pugno-Ausgaben:
- Balladen und Impromptus [4/5]   UE 345
- Etudes op. 10, op. 25 [4/5]   UE 347
- Mazurkas [3/5]   UE 342
- Préludes op. 28 und 45 [4/5]   UE 348a
- Walzer [3/4]   UE 341

Debussy C.:
Ausgewählte leichte Klavierstücke (Roggenkamp) [1/3]   UE 18584

Dussek J. L.:
Zwei Klaviersonaten C. V. 40, 43 (Marvin) [3]   UE 18581

Dvořák A.:
Leichte Originalkompositionen (Roggenkamp) [2/3]   UE 18587

Field J.:
Nocturnes (Duvernoy) [2/3]   UE 61

Haydn J.:
- 12 kleine Stücke (Rauch) [1]   UE 157
- Kleine Tänze für die Jugend (Krieger) [1/2]   UE 10270
- 6 leichte Menuette (Beer) [1/2]   UE 11100

Hummel J. N.:
Sonaten und Klavierstücke (C. de Bériot) [3/4]
- Band I [3/4]   UE 91
- Band II [3/4]   UE 92
- Band III [3/4]   UE 93

Liszt F.:
- Consolations (Friedman, Weber) [3]   UE 5879
- Liebesträume, 3 Notturnos [4]   UE 5881

Mozart L.:
Nannerl-Notenbuch nach dem Original für den Unterricht ediert
und nach dem Schwierigkeitsgrad geordnet. Über die Ausführung
(Ornamentierung u. a. m.) informieren zahlreiche Fußnoten
im Notentext und Zitate aus Leopold Mozarts Violinschule
im Vorwort (Kann) [1/2]   UE 17145

Mozart W. A.:
- 12 Walzer für die Jugend [1/2]   UE 616
- 6 Wiener Sonatinen KV 439b (Kann) [1/2]   UE 13354

Scarlatti-Tausig:
Pastorale und Capriccio (Reprint) [2/3]   UE 17828

Schubert F.:
- Ballettmusik aus Rosamunde für Klavier eingerichtet
  von R. Fischhof [3]   UE 852
- 6 Deutsche Tänze v. Oktober 1824, op. posth. [3]   UE 2743
- Impromptus, Moments Musicaux,
  Drei Klavierstücke (D 946) [3/4]   UE 13307
- Klaviersonaten, 2 Bände (Urtext – E. Ratz) [3/5]   UE 257a/b
- Sonate oubliée C-Dur D 916B (Demus, Sölder) [4]   UE 18575
- Walzer „Kupelwieser" (aufgezeichnet von Richard Strauss) [2]   UE 14930

Schumann R.:
- Abegg-Variationen op. 1, Papillons op. 2 (Friedman) [4]   UE 436
- Albumblätter op. 124 [2/4]   UE 562
- Album für die Jugend op. 68 (Friedman, Klaser) [1/2]   UE 361
- Arabeske op. 18, Blumenstück op. 19 [2]   UE 437
- Carnaval op. 9 [5]   UE 360
- Davidsbündlertänze op. 6 [4/5]   UE 532
- Fantasiestücke op. 12 [3/5]   UE 519
- Faschingsschwank op. 26 [5]   UE 438
- Humoreske op. 20 [4]   UE 529
- 3 Romanzen op. 28 [3]   UE 531

Tschaikowsky P. I.:
Ausgewählte Original-Kompositionen [3]   UE 726

Klavieralben / Piano Anthologies

Die Bach-Familie 1604–1845
(Geiringer) [2/3]   UE 10787

Böhmische Klaviermusik im Zeitalter der Klassik (P. Roggenkamp)
Band 1: Werke von Benda, Tomašek, Dusík (Dussek) [1/3]   UE 18582
Band 2: Werke von Mysliveček, Rejcha, Voříšek [1/3]   UE 18583

Händel-Album
Die leichtesten Klavierstücke (Scholz) [1]   UE 13040

Klassisches Klavieralbum für die Jugend. (Schoberlechner)
39 leichte Originalstücke von J. S. Bach, C. Ph. E. Bach,
Beethoven, Clementi, Diabelli, Dussek, Grazioli, Händel,
Haydn, Kuhlau, Mozart, Schumann, Weber u. a. [1/2]   UE 10850

Klaviermusik aus Österreich
Musikalische Kostbarkeiten aus Klassik, Barock
und Biedermeier (Kann) [2/3]   UE 13830

Klingendes Alphabet
40 beliebte Stücke von Arditi bis Zeller,
ganz leicht gesetzt von A. Steinbrecher [1/2]   UE 10299

Romantisches Jugendalbum
34 leichte Stücke von Gade, Heller, Jensen, Liszt, Niemann,
Reger, Schumann, Tschaikowsky (Schoberlechner) [2/3]   UE 10930

Schubert-Album: „Leise flehen meine Lieder"
23 der bekanntesten Melodien in leichtester Spielart [1]   UE 10765

Sonatinen-Album (Rauch)
Band I: 21 Sonatinen von Clementi, Diabelli, Dussek, Kuhlau [1]   UE 335
Band II: 14 Sonatinen von Beethoven, Clementi, Dussek,
Haydn, Kuhlau, Mozart [2]   UE 336

Sonatinen-Vorstufe
15 leichteste Sonatinen als Vorbereitung zu Clementi,
Kuhlau, Diabelli (Prisching) [1/2]   UE 3778

Stimmen der Meister
40 der schönsten leichten bis mittelschweren
Klavierkompositionen unserer Klassiker (Sauer) [2/4]   UE 10676

Vogelstimmen in der Klaviermusik
mit Werken von Couperin, Rameau, J. S. Bach, Daquin,
Schumann, Reger u. a. (Roggenkamp) [2/4]   UE 18580

STUDIENWERKE
und beliebte Klassiker-Ausgaben für Klavier

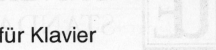

BACH, J. S.	Kleine Präludien und Fugetten *UE 323*
	Zwei- und dreistimmige Inventionen *UE 324*
	Französische Suiten *UE 325*
BACH, C. Ph. E.	Kurze und leichte Stücke mit veränderten Reprisen *UE 13311*
BEETHOVEN	Sämtliche Sonaten, Band 1/2 *UE 8/9*
	Klavierstücke *UE 13 367*
BERTINI	48 Studien als Vorübungen zu den Etüden von J.B. Cramer:
	– Etüden I op. 29 *UE 129*
	– Etüden II op. 32 *UE 130*
	25 Etüden op. 100 *UE 132*
BEYER	Vorschule im Klavierspiel op. 101 *UE 167*
BURGMÜLLER	25 leichte Etüden op. 100 *UE 1542*
CRAMER	21 Etüden nebst Fingerübungen von Beethoven nach seinem Handexemplar *UE 13 353*
CRAMER-BÜLOW	60 ausgewählte Etüden *UE 1304*
CZERNY	100 Übungsstücke op. 139 *UE 123*
	Schule der Geläufigkeit op. 299 *UE 51*
	Erster Lehrmeister op. 599 *UE 52*
	Vorübungen zur Schule der Geläufigkeit (30 Etudes de mécanisme) op. 849 *UE 143*
	100 Erholungen *UE 260*
	Erster Anfang *UE 195*
DUVERNOY	Elementar-Unterricht op. 176 *UE 2073*
	Vorschule der Geläufigkeit op. 276 *UE 1530*
HAYDN	12 kleine Stücke *UE 157*
	Kleine Tänze für die Jugend *UE 10 270*
	6 leichte Menuette *UE 11 100*
HELLER	25 melodische Etüden op. 45 *UE 5920*
	30 fortschreitende Etüden op. 46 *UE 5921*
	25 Etüden für Rhythmus und Ausdruck op. 47 *UE 5922*
	24 Etüden für Jugend op. 125 *UE 1695*
HERZ	Gammes et Exercices *UE 689*
HUMMEL	Sonaten und Klavierstücke, 3 Bände *UE 91/92/93*
	Ausgewählte Etüden op. 125 *UE 760*
LEMOINE	Etudes enfantines op. 37 *UE 161*
MOZART	12 Walzer für die Jugend *UE 616*
	6 Wiener Sonaten KV 439b *UE 13354*
SCHMITT	Vorbereitende Übungen aus op. 16 *UE 278*
SCHUBERT	14 Sonaten in 2 Bänden, Band 1/2 *UE 257a/257b*
	6 deutsche Tänze *UE 2743*
	Walzer („Kupelwieser") *UE 14 930*
SCHUMANN	Album für die Jugend op. 68 *UE 361*
SONATINEN-ALBUM	Band 1: 21 Sonatinen von Clementi, Diabelli, Dussek, Kuhlau *UE 335*
	Band 2: 14 Sonatinen von Beethoven, Clementi, Dussek, Haydn, Kuhlau, Mozart *UE 336*
SONATINEN-VORSTUFE	15 leichteste Sonatinen als Vorbereitung zu Clementi, Kuhlau, Diabelli *UE 3778*
TONLEITERN-SCALES-GAMMES	(dt.-engl.-fr.) *UE 1693*

UNIVERSAL EDITION WIEN

528 / 95 XII

WIENER URTEXT EDITION

C. PH. E. BACH
UT 50148 Sonaten für Orgel

J. S. BACH
UT 50161 Chromatische Fantasie und Fuge BWV 903/903a
UT 50050/51 Das Wohltemperierte Klavier, Band I, II (Bd. I Revision 1997)
UT 50060 Englische Suiten BWV 806–811
UT 50186 Französische Ouvertüre BWV 831/831a
UT 50048 Französische Suiten BWV 812–817
UT 50159 Goldberg-Variationen BWV 988
UT 50042 Inventionen und Sinfonien BWV 772–801
UT 50057 Italienisches Konzert BWV 971
UT 50041 Kleine Präludien und Fughetten
UT 50166/67 Partiten BWV 825–830, 2 Bände
UT 50002 2 Sonaten für Violine und Basso continuo BWV 1021, 1023
UT 50018/19 6 Sonaten für Violine und Cembalo, 2 Bände BWV 1014–1019
UT 50133 Suiten für Violoncello solo BWV 1007–1012
UT 50081 Toccaten BWV 910–916

BEETHOVEN
UT 50020 Alla ingharese („Die Wut über den verlorenen Groschen") Op. 129
UT 50054 Bagatellen Op. 33, Op. 119, Op. 126
UT 50053 „Für Elise", Klavierstück in B-Dur
UT 50003 Klavierstücke
UT 50107 Sonaten für Klavier, Bd. 1 (Op. 2 – Op. 22)
UT 50108 Sonaten für Klavier, Bd. 2 (Op. 26 – Op. 57)
UT 50121 Sonate für Klavier Op. 2/1
UT 50123 Sonate für Klavier Op. 7
UT 50111 Sonate für Klavier Op. 10/1
UT 50129 Sonate für Klavier Op. 10/2
UT 50132 Sonate für Klavier Op. 10/3
UT 50112 Sonate für Klavier („Pathétique") Op. 13
UT 50113 2 Sonaten für Klavier Op. 14/1, 2
UT 50137 Sonate für Klavier Op. 26
UT 50114 Sonate für Klavier Op. 27/2 („Mondscheinsonate")
UT 50085 2 Sonaten für Klavier Op. 49/1, 2
UT 50024/25 Variationen für Klavier, Band I, II
UT 50017 Variationen über Volksweisen Op. 105 und 107
UT 50160 Variationen, Sonate Op. 6, Märsche Op. 45 – 4hdg.
UT 50191 Bd. II. Große Fuge Op. 134 für Klavier zu 4 Händen

BRAHMS
UT 50068 Balladen Op. 10
UT 50072 Fantasien Op. 116
UT 50023 3 Intermezzi Op. 117
UT 50102 Klaviersonate Op. 1
UT 50103 Klaviersonate Op. 2
UT 50104 Klaviersonate Op. 5
UT 50067 Klavierstücke Op. 76
UT 50044 Klavierstücke Op. 118
UT 50045 Klavierstücke Op. 119
UT 50007 2 Rhapsodien Op. 79
UT 50015 Sonate für Klavier und Klarinette (oder Bratsche) f-Moll Op. 120/1
UT 50016 Sonate für Klavier und Klarinette (oder Bratsche) Es-Dur Op. 120/2
UT 50011 Sonate für Klavier und Violine G-Dur Op. 78
UT 50012 Sonate für Klavier und Violine A-Dur Op. 100
UT 50013 Sonate für Klavier und Violine d-Moll Op. 108
UT 50039 Sonate für Klavier und Violoncello e-Moll Op. 38
UT 50040 Sonate für Klavier und Violoncello F-Dur Op. 99
UT 50046 Walzer für Klavier Op. 39/Erleichterte Fassung
UT 50073 Walzer für Klavier Op. 39/Fassung zu 2 Händen
UT 50074 Walzer für Klavier Op. 39/Fassung zu 4 Händen

BURGMÜLLER
UT 50130 25 leichte Etüden Op. 100

CHOPIN
UT 50100 Balladen
UT 50030 Etudes Op. 10
UT 50031 Etudes Op. 25 und Trois Nouvelles Etudes
UT 50058 Impromptus
UT 50065 Nocturnes
UT 50005 24 Préludes Op. 28
UT 50061 Scherzi

DEBUSSY
UT 50082 Children's Corner
UT 50105/06 Préludes I, II
UT 50083 Deux Arabesques
UT 50084 Suite bergamasque
UT 50173 Syrinx

DVOŘÁK
UT 50162 Sonatine Op. 100

FRANCK
UT 50140/41 Six Pièces pour Grand Orgue I, II
UT 50142 Trois Pièces pour Grand Orgue
UT 50143 Trois Chorals pour Grand Orgue
UT 50144 L'Organiste
UT 50174 Sonate für Violine und Klavier

HÄNDEL
UT 50118 Klavierwerke I (Verschiedene Suiten)
UT 50119 Klavierwerke II (Acht Große Suiten)
UT 50120 Klavierwerke III (Ausgewählte verschiedene Stücke)

HAYDN
UT 50077 Andante con variazioni f-Moll Hob. XVII: 6
UT 50194 „Il Maestro e lo Scolare" für Klavier vierhändig
UT 50047 Klavierstücke
UT 50026–29 Sämtliche Klaviersonaten, 4 Bände, Bd. Ia, b, II, III
UT 50080 Sämtliche Klaviersonaten, Kritische Anmerkungen
UT 50052 Tänze für Klavier Hob. IX: 3, 8, 11, 12

HINDEMITH
UT 50128 Ludus tonalis

MOZART
UT 50092 Fantasie d-Moll KV 385g (397)
UT 50228 Fantasie und Sonate c-Moll KV 475 und 457 (Neuausgabe)
UT 50037 Klavierstücke
UT 50093 Sonate für Klavier A-Dur KV 300i (331)
UT 50094 Sonate für Klavier C-Dur KV 545
UT 50035/36 Sonaten für Klavier, 2 Bände
UT 50032–34 Sonaten für Klavier und Violine, 3 Bände
UT 50096 12 Variationen „Ah, vous dirai-je, Maman" KV 300e (265)
UT 50008/09 Variationen für Klavier, 2 Bände
UT 50069 Variationen für Klavier und Violine
UT 50088 Werke für Klavier zu vier Händen

MUSSORGSKI
UT 50076 Bilder einer Ausstellung

SCHÖNBERG
UT 50195 Ausgewählte Klavierwerke

SCHUBERT
UT 50010 Fantasie C-Dur („Wanderer-Fantasie")
UT 50055 Impromptus D 899 (Op. 90)
UT 50056 Impromptus D 935 (Op. post. 142)
UT 50001 Impromptus, Moments musicaux, 3 Klavierstücke
UT 50220 Sämtliche Klaviersonaten, Bd. 1
UT 50221 Sämtliche Klaviersonaten, Bd. 2
UT 50222 Sämtliche Klaviersonaten, Bd. 3
UT 50196 Klaviersonate A-Dur D 664
UT 50064 Ländler, Ecossaisen, Menuette
UT 50043 Moments musicaux D 780 (Op. 94)
UT 50021/22 Sämtliche Tänze für Klavier, 2 Bände
UT 50089 Sonate für Klavier und Violine D-Dur D 384 (Op. 137/1)
UT 50090 Sonate für Klavier und Violine a-Moll D 385 (Op. 137/2)
UT 50091 Sonate für Klavier und Violine g-Moll D 408 (Op. 137/3)
UT 50004 Sonaten für Klavier und Violine
UT 50087 „Trockne Blumen" für Klavier und Flöte D 802 (Op. post. 160)
UT 50063 Walzer und Deutsche Tänze

SCHUMANN
UT 50049 Album für die Jugend Op. 68
UT 50059 Arabeske Op. 18, Blumenstück Op. 19
UT 50098 Davidsbündlertänze Op. 6
UT 50038 Fantasiestücke Op. 12
UT 50190 Kinderszenen Op. 15 (Neuausgabe)
UT 50014 Papillons Op. 2
UT 50066 Waldszenen Op. 82

TELEMANN
UT 50187 Fantasien für Flöte solo

TSCHAIKOWSKY
UT 50134 Kinderalbum Op. 39

Die Reihe wird fortgesetzt / This series will be continued

600 V/ 2000